LA PETITE ABEILLE AU PAYS DES COULEURS

Paule Alen • Myriam Deru

casterman

ISBN 2-203-16102-7

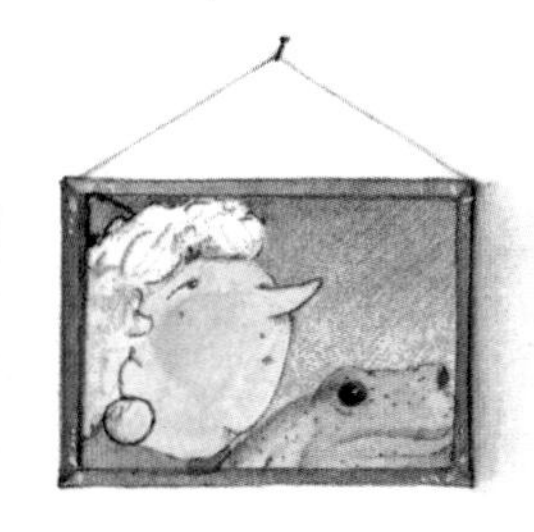

Aglaé l'abeille se rend chez Mélusine.
La petite sorcière est sa copine.
Un gros gâteau l'attend.
Aujourd'hui Mélusine fête ses 600 ans.

— Mélusine, apprends-moi
la magie !
Ne suis-je pas ta meilleure amie ?
— La magie est un art difficile !
Il faut plus de 200 ans
pour devenir habile !
Ne sois pas déçue,
je t'emmène dans l'heure
visiter le pays des couleurs.
Et zoup !

— Mélusine, tu te trompes sûrement !
Dans ce pays tout est blanc !
— La neige cache les couleurs.
Mais si l'hiver ne fait pas ton bonheur
un coup de baguette magique suffit
pour nous emmener loin d'ici.
Et zoup !

Les deux amies arrivent
dans un grand désert.
— Mélusine, je ne vois que du jaune
devant comme derrière!
Aglaé boude et se cache dans le décor.
Mélusine ne la trouve plus,
malgré tous ses efforts.
— Il ne me reste qu'une solution:
faire disparaître tout ce jaune citron.
Et zoup...

Aglaé et Mélusine se retrouvent
au bord de l'eau.
— Mais Mélusine, je n'ai même pas
mon maillot !
Regarde, je suis bleue de froid !
— Si ce n'est que ça,
le bleu à son tour s'en ira !
Et zoup !

— Monte sur mon balai.
Nous allons dans la forêt.
Toutes deux sont dans les airs
mais vite tombent par terre.
— Mélusine, tu es verte de peur !
La sorcière cache sa frayeur
et fait disparaître cette couleur.
Et zoup !

— A toi de conduire le balai,
allons où il te plaît.
Mais Aglaé vole trop bas.
Les voilà dans les bégonias.
— Je vois rouge, cette fois !
— Je t'en prie, calme-toi.
— Abracadabra, et le rouge s'en ira.
Et zoup !

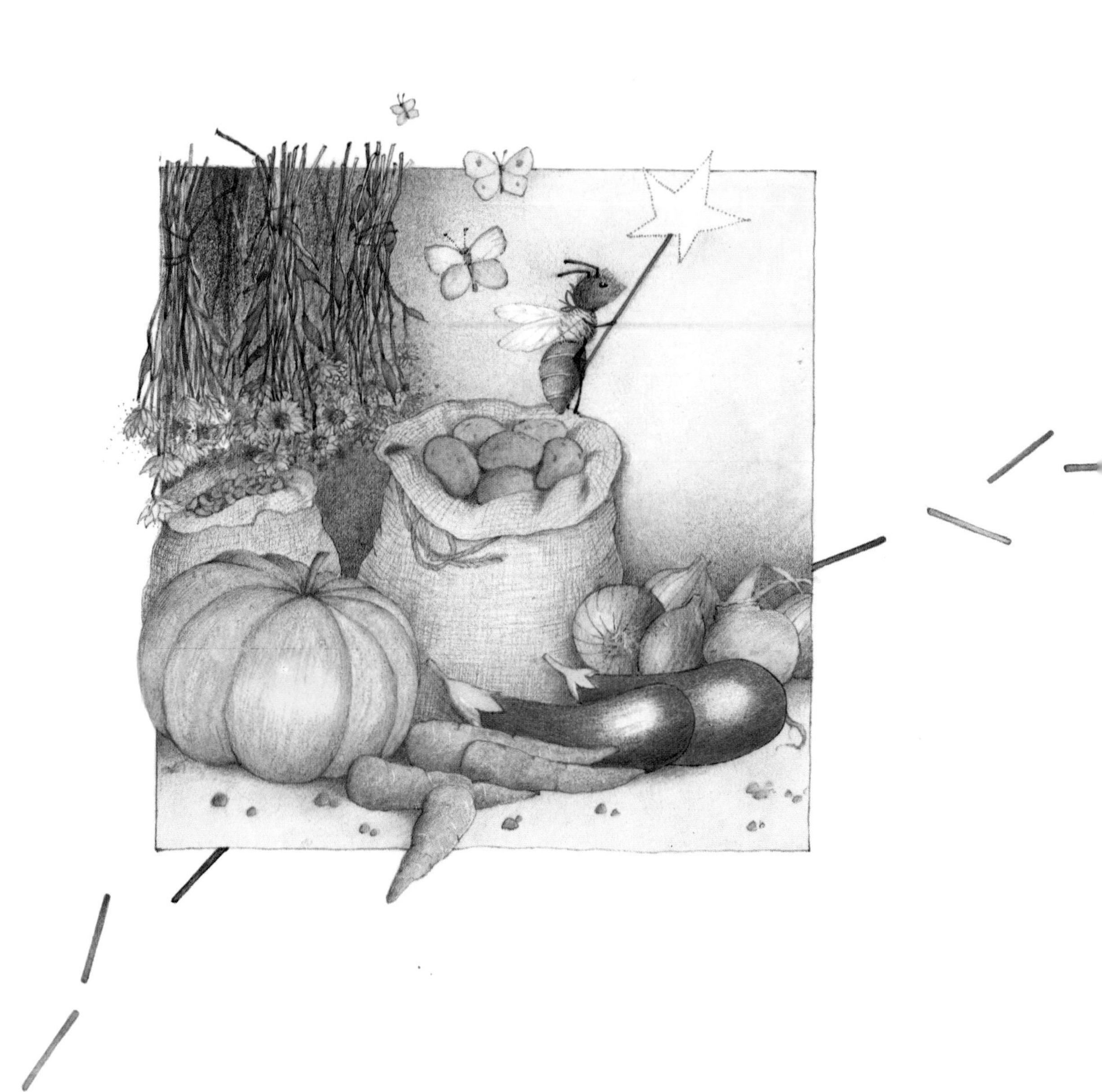

Aglaé s'amuse avec la baguette magique.
— Regarde toutes ces couleurs, c'est magnifique !

Aglaé s'envole.
— Arrête de faire la folle !
Mais Aglaé repart,
et Mélusine broie du noir.
Bientôt il fait noir
comme dans un four.
Aglaé a joué un mauvais tour !

Aglaé fait grise mine.
Elle demande pardon à sa copine.
— Mélusine, reprends les choses en main !
Il faut que tout soit repeint.

Mais les couleurs ne veulent plus obéir.
Aglaé s'affole, Mélusine soupire.
— Regarde ce que tu as fait !
— Je ne recommencerai plus jamais.

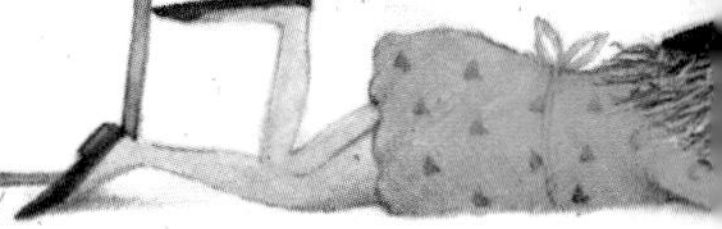

Mélusine agite sa baguette
pour de bon.
Tout retrouve le bon ton.
— Cessons nos coloriages.
— Repartons en voyage !

Imprimé en Belgique par Casterman, s.a., Tournai, janvier 1987. N° édit.-impr. 3269. Dépôt légal : mars 1987 ;
D. 1987/0053/58. Déposé au Ministère de la Justice, Paris
(loi n° 49.956 du 16 juillet 1949 sur les publications destinées à la jeunesse).